ROBERTO GÓMEZ BOLAÑOS

...y también poemas

punto de lectura

... Y TAMBIÉN POEMAS

D. R. © Del texto y de las ilustraciones,
          Roberto Gómez Bolaños, 2002

 punto de lectura

De esta edición:
     D. R. © Punto de lectura, S.A. de C.V.
     Av. Universidad núm. 767, col. del Valle
     C.P. 03100, México, D.F. Teléfono 5420-75-30
     www.puntodelectura.com.mx

Primera edición en Punto de Lectura: mayo de 2001
Tercera reimpresión: abril de 2006

ISBN: 970-710-013-8

D. R. © Diseño de cubierta: Miguel Ángel Muñoz Ramírez,
          sobre un dibujo del autor.

Impreso en México

Todos los derechos reservados. Esta publicación no puede ser
reproducida, ni en todo ni en parte, ni registrada en o transmitida
por un sistema de recuperación de información, en ninguna forma
ni por ningún medio, sea mecánico, fotoquímico, electrónico,
magnético, electroóptico, por fotocopia, o cualquier otro, sin el
permiso previo por escrito de la editorial.

ROBERTO GÓMEZ BOLAÑOS

...y también poemas

Dibujos y pinturas
del autor

Versos antiguos

Esta noche yo deseo
escribir versos antiguos,
actualmente tan exiguos
que parecen de museo.
Y sin embargo yo creo
que existe aún quien estima
la cadencia que sublima,
la música del acento
y el sabroso condimento
de la métrica y la rima.

La empresa, pues, acometo,
con singular valentía,
consciente de que hoy en día
soy un cursi por decreto.
Y solamente prometo
que escribiré sin engaño,
reconociendo que extraño
métrica, rima y acento.
¡Aquel viejo condimento
de los poemas de antaño!

Octosílabo perfecto

Las décimas son poemas
con estrofas de diez versos,
sujetos a los diversos
preceptos de sus esquemas.
Entre los muchos problemas
destaca por su rigor
la rima, como factor
tan cabal e inflexible,
que declara inadmisible
la presencia de un error.

En la métrica lo mismo:
sólo versos octosílabos.
(Nada de endecasílabos
ni cualquier otro guarismo.)
Y en afán de preciosismo,
aquí el título fue electo
sin mácula ni defecto,
pues así como lo ves,
el título también es
"Octosílabo perfecto".

Florinda

Florinda Meza García.
Un nombre, es evidente,
que rima perfectamente
con la palabra "poesía".
Buen principio, yo diría,
para iniciar el proyecto
de un poema sin defecto
y sin mácula; amén
de que el nombre es también
octosílabo perfecto.

Por si no fuera bastante,
está la palabra "linda"
para rimar con "Florinda"
en perfecta consonante.
Y de modo semejante,
sin alardes de proeza,
resulta obvio que "Meza"
a más de ser apellido,
es palabra que ha servido
para rimar con "belleza".

Por tanto, sin más problemas,
la décima ya está
con la métrica que va
en semejantes poemas.
Mas ¿por qué tantas faenas?
si para hacer poesía
en realidad bastaría
con eliminar el resto
y escribir tan sólo esto:
"Florinda Meza García."

Yo no puedo ser poeta

Yo no puedo ser poeta.
¡Imposible! No he tenido
grandes vicios ni he sufrido
por amor de una coqueta.
La conciencia no me inquieta;
por lo tanto ¿cómo puedo
pregonar que tengo miedo
a la vida o a la muerte,
o quejarme de la suerte
o negar que tengo un credo?

¡Ay, quién tuviera los ojos
del vicioso y del borracho
que ven, sin ningún empacho,
poesía en los abrojos!
¿Hay belleza en los despojos
de un cadáver putrefacto?
Mucha —dirán— y al impacto
de sus palabras audaces
vomitarán varias frases.
¡Un nuevo poema abstracto!

Pero ¿mirar un paisaje
y deleitarse con ello?
¿Contemplar un rostro bello,
una flor o un celaje?
¡Eso no! En el lenguaje
que hoy forma literatura,
hay que decir: "¡qué basura!
¡Qué gas! ¡Qué tuberculosis!
¡Qué voltaje! ¡Qué psicosis!"
... Pero jamás: "¡qué hermosura!"

Mas yo soy bastante sano
y mi renta no es pequeña;
el amor no me desdeña
y creo en el Género Humano.
No tengo, pues, a la mano
ninguna pena concreta;
y amando la vida quieta
y la paz del corazón,
sólo hay una conclusión:
Yo no puedo ser poeta.

El ferrocarril iconoclasta*

¡Qué tranquilo tan incierto,
sin estribor ni pestaña,
para morder la guadaña
con renglones del desierto!
Y de violetas advierto
los pertrechos que convino
la mofeta del destino
que perdió la pulmonía
del sol con hegemonía
sin el prepucio del vino.

* El célebre artista británico Henry Moore hizo una escultura que parecía ser la representación de un cenicero mal colocado o la imagen de una llanta de automóvil recién chocado, pero Moore decidió titularla *Madre e hijo*, sin que esto llegara a provocar marchas de protesta ni nada por el estilo. Con criterio similar, por lo tanto, yo escogí "El ferrocarril iconoclasta" como título para mi poema. (Aunque debo confesar que por un momento pensé titularlo "Berenjenas en do mayor".)

A José María Fernández Unsaín
(En memoria de sus excelentes sonetos)

Tu nombre es José María
y tu sobrenombre es Chema.
Éste rima con "poema"
y el anterior, con "poesía".
Por tanto me gustaría,
con el debido respeto,
afrontar el noble reto
de alcanzar, como presea,
que esta décima sea
un homenaje al soneto.

Sabines

Me hiciste llorar, Sabines,
me hiciste pensar que el viento
llora también con acento
de famélicos mastines.
Que no puede haber festines
porque al instante se advierte
que los dioses de la suerte
siempre te serán adversos,
sin importar si tus versos
son de vida o son de muerte.

Los quijotes

No existen ya los Cervantes
que diseñaban Quijotes
ni se escuchan ya los trotes
de los viejos Rocinantes.
Los caballeros andantes
no saben soñar despiertos;
no toman rumbos inciertos
buscando faenas rudas,
ni van socorriendo viudas
ni van desfaciendo entuertos.

No hay una bella pastora
que conduzca a las ovejas.
No hay leyendas, no hay consejas;
no hay atisbos de una aurora.
Tampoco existen ahora
gigantes en los caminos.
Si acaso algunos mezquinos
y tan insignificantes,
que a pesar de ser gigantes
aparentan ser molinos.

No hay un solo caballero
que cometa la proeza
de proteger su cabeza
con el bacín de un barbero.
Tampoco hay un escudero
con ambición feudataria;
hoy Sancho es un pobre paria
que camina lento y triste,
pues ya sabe que no existe
la ínsula Barataria.

¿Cómo conquistar bastiones
y abatir la felonía,
si el honor y la hidalguía
se fueron de vacaciones?
Si ahora los campeones
ya no emprenden odiseas
ni peligrosas tareas;
y para colmo de males,
ya no tienen los ideales
que engendraban Dulcineas.

Facilidad de palabra

Quien tiene como recurso
facilidad de palabra,
provechosamente labra
los terrenos del discurso.
No obstante, yo, al transcurso
de los años, hoy sentencio
que admiro y reverencio
con mayor solicitud
a quien tiene por virtud
facilidad de silencio.

Monumento a los héroes

El epitafio decía:
"Aquí yace don Fulano,
dignísimo ciudadano
de indiscutible valía."
Y la gente lo leía
sin saber que el expediente
del mencionado valiente
con descaro testifica
que su mérito radica
en haber matado gente.

Pero lo peor del asunto
es que al llegar al panteón
califican al matón
como honorable difunto.
Por tanto, yo me pregunto:
¿Cómo ha podido la Historia
decir que merecen gloria
semejantes esperpentos,
erigiendo monumentos
a su estúpida memoria?

1993

El himno
(Escrito algunos días después del terremoto
que sacudió a la Ciudad de México en 1985.)

Si ya el Himno, de salida,
vomita un grito de guerra,
¿por qué extrañar que la tierra
retiemble en su centro herida?
¿No piensas, Patria querida,
que habría sido mejor
la defensa de tu honor
si en vez de tanto soldado
el Cielo te hubiera dado
uno que otro profesor?

Los críticos

Superando mil obstáculos
tuve por fin ocasión
de averiguar lo que son
los críticos de espectáculos.
No son pulpos con tentáculos
ni monitos de historietas
ni productos de probetas
ni demonios ni mutantes;
mucho menos visitantes
de enigmáticos planetas.

Y bien, la pregunta es ésta:
si no es un producto mítico,
¿qué es entonces un crítico
y qué aspecto manifiesta?
¡Ay, amigos, la respuesta
boquiabierto me dejó!
Porque, lo crean o no,
los críticos son sólo eso:
personas de carne y hueso
como usted o como yo.

Y los hay que tienen ya
hermanos, esposa, hijos,
primos, cuñados canijos,
... y algunos hasta mamá.
(Pequeñita, claro está.)
Pero con hijos que son
motivo de admiración
desde que son mozalbetes,
cuando al romper sus juguetes
encuentran su vocación.

Con esto adquieren destreza
para luego sacudir,
desbaratar o destruir
fácilmente cualquier pieza.
Pero, con toda franqueza,
se ha comentado de sobra
que después de la maniobra
ya existen tres o cuatro
que hasta suelen ir al teatro
para conocer la obra.

Y me han asegurado
que uno se arrepintió,
sus palabras se tragó...
y falleció envenenado.
Anoche fue sepultado
y el desenlace funesto
ha puesto de manifiesto
lo que el público proyecta:
realizar una colecta
para sepultar al resto.

El teatro de la vida

La vida es como una pieza
de teatro: lo esencial
siempre se encuentra al final;
poco importa cómo empieza.
Y es, con toda franqueza,
inevitable que exista
la condición egoísta
en la obra, cómo no,
si al fin y al cabo soy yo
el actor protagonista.

Los triunfadores

Si usted tiene la virtud
o el don de sobresalir,
le debemos advertir
que modere su actitud,
que soslaye su inquietud
y que evite la pelea;
pues, lo crea o no lo crea,
en este país ha sido
estrictamente prohibido
destacar en lo que sea.

Hugo Sánchez

¡Hugo Sánchez, ten cuidado!
Oculta, si te es posible,
que cometiste el horrible
delito de haber triunfado.
¿Por qué glosar tu pecado
de forma tan insolente,
sabiendo perfectamente
que en este país bendito
destacar es un delito
que no perdona la gente?

Por favor, Hugo, desiste
de incrementar esa cuenta
de goles que representa
para muchos algo triste.
Y no importa si lo hiciste
de chilena, de bolea,
media vuelta o lo que sea.
¿No ves que por cada gol
un cronista de futbol
agoniza de diarrea?

Futbol

Con estilo sin igual
surge el extremo derecho,
mata el balón con el pecho
y hace un pase magistral.
Se acerca al área rival
derrochando jiribilla
que a los contrarios humilla;
pero el central no se asusta
y sin pensarlo le incrusta
los tacos en la rodilla.

El árbitro se concreta
a señalar la infracción.
(Si fue negra la intención,
amarilla es la tarjeta.)
Y claro que nadie objeta,
ya que es cosa comprobada
que si el árbitro se enfada,
la consecuencia es funesta:
para el pobre que protesta
la tarjeta es colorada.

Pero falta lo mejor:
el agreste comentario
de un estólido gregario
que se llama locutor.
Porque el ínclito señor
aprueba la felonía
diciendo, sin ironía,
que es bendita la patada
que impidió fuera violada
la virginal portería.

Lo cual, en lenguaje llano,
sin eufemismos al dorso,
sólo es patente de corso
que le otorgan al villano.
Y aunque parezca inhumano,
esto lo dice tal cual,
con aires de sinodal,
el cronista de futbol:
que para evitar un gol
se vale ser animal.

El toreo

No estoy hablando de Roma
con sus muros de granito
ni estoy hablando de un rito
que en el tiempo se desploma.
Hoy el futuro se asoma;
Calígula ya no asiste
al espectáculo triste
del infame Coliseo...
y sin embargo el Toreo
con obstinación persiste.

¡Es la fiesta sin igual!
... Pero el corazón advierte:
¿es una fiesta la muerte?
¿Es artista el criminal?
Y el desenlace final...
¿No amerita su condena
constatar que la faena
se tradujo en agonía,
en brutal carnicería
y en sangre sobre la arena?

Y más aún: sobresalta
observar a tanta gente
que aplaude sonrientemente
la brutalidad que exalta.
Por lo tanto hace falta
señalar con precisión
que toro y torero son
prototipos de modestia,
pues en calidad de bestia,
el público es el campeón.

El circo

Un olor de tinta fresca
escapa de los volantes
impresos momentos antes
con redacción picaresca.
Caravana pintoresca
de atuendos multicolores
con prestidigitadores,
acróbatas, trapecistas,
jinetes, malabaristas,
con fieras y domadores.

¡Y entre todos el bufón!
El augusto personaje
de singular maquillaje
que es el rey de la función.
El emblemático histrión
que con rigor legitima
el recuerdo que sublima:
nostalgia de una niñez
que enterró a la timidez
por arte de pantomima.

El boxeador

Hubo una vez un muchacho
que en el barrio más convulso
se supo ganar a pulso
la fama de ser muy macho.
Entonces no era borracho;
esto ya fue posterior,
cuando siendo boxeador
pudo hartarse de billetes
distribuyendo moquetes
al estricto por mayor.

Pero detrás del chiquillo
generosamente estaba
el hombre que manejaba
su carrera y su bolsillo.
Razonamiento sencillo:
"De lo que ganes aquí
me corresponden a mí
las porciones adecuadas.
Pero todas las trompadas
te corresponden a ti."

Y abundaron los placeres
cuando al llover los contratos
conquistaba campeonatos
y conquistaba mujeres...
Pero en esos menesteres
fue perdiendo juventud,
fama, dinero y salud,
hasta quedar finalmente
con la rechifla inclemente
de la ingrata multitud.

Pues convertido en escoria,
el famoso boxeador
perdió con el retador
el cinturón y la gloria.
De la tristísima historia
ya conocemos el resto:
tras desenlace funesto,
el muchacho al fin reposa
para siempre en una fosa.
(Fosa común, por supuesto.)

El Gordo y El Flaco

Con su atuendo de batalla
(corbata, bombín y saco)
llegan El Gordo y El Flaco
dando brillo a la pantalla.
Entonces la risa estalla;
pero además se refleja
que el público no festeja
tan sólo el esparcimiento,
sino también el talento
que rezuma la pareja.

Pues si El Flaco se tropieza,
no hay torpeza de su parte;
es el producto de un arte
que sublima la torpeza.
Y, con la misma destreza,
tampoco El Gordo fracasa
cuando su flema retrasa
la ampulosa ceremonia
con la sutil parsimonia
que es el sello de la casa.

¡Cómo gozamos aquellos
momentos inolvidables,
simultáneamente amables,
regocijantes y bellos!
¡Y cómo aprendimos de ellos
la pausa justa y precisa
del humorismo sin prisa:
tiempo, ritmo y cadencia
en la sin par excelencia
del poema de la risa!

La risa

Hay en el mundo un sonido
que por sí solo podría
conformar la melodía
más grata para el oído.
Es de todos conocido
y, desde luego evidente,
que no tiene equivalente
en la faz del mundo entero.
Por supuesto me refiero
a la risa de la gente.

La tosca risa del viejo,
la suave risa del niño,
la que brota por cariño,
la que estalla sin complejo.
La que suena cual añejo
crujir de una crinolina,
risas de voz cristalina
y carcajadas sonoras
que son como las tamboras
de una banda pueblerina.

Risas que son oda y canto,
gritos de triunfo, poesía,
acicate en la alegría,
paliativo en el quebranto.
A la vida, por lo tanto,
le tengo que agradecer
que por mi doble quehacer,
escritor y comediante,
es la risa mi constante
y fascinante placer.

1982

El público también fracasa

Con los divos del parnaso
y el autor más conocido,
¿quiénes habrían podido
pronosticar un fracaso?
Y, sin embargo, fue el caso,
ya que en vez de teatro lleno
la temporada de estreno
careció de concurrencia;
y el público en consecuencia
no supo lo que era bueno.

Pero la anécdota cobra
singular significado
cuando vemos que ha logrado
superar esa zozobra,
pues hoy, con la misma obra,
la gente que se percata
los boletos arrebata
para acudir con presteza.
¿El título de la pieza?
Por supuesto: "La Traviata".

Rimas reiterativas

Hoy que con dolor intuyo
un horizonte sombrío,
siento un escalofrío
que en verdad tiene lo suyo.
Mas no por eso inmiscuyo
el desamor y el vacío
con un corazón impío;
yo más bien lo atribuyo
a que tienes mucho orgullo
o tuviste mucho hastío.

Por tanto hoy te confío
la verdad de Perogrullo:
lo que antes fue murmullo
se ha convertido en un lío.
Me acongojo... desvarío...
y con la pena concluyo
que ya no es mío lo tuyo,
que ya no es tuyo lo mío
y ya nunca habrá un rocío
que humedezca mi capullo.

Siempre tuyo:
Darío.

¿Político, yo?

¿Político, yo?... ¡Jamás!
Y voy a decir por qué:
porque yo nunca seré
un individuo rapaz,
no soy cínico ni audaz,
nunca en la vida gasté
más de aquello que gané,
y no me siento capaz
de vivir de los demás
burlando su buena fe.

Y espero que no me dé,
ni siquiera en un fugaz
momento, por ser voraz
a cambio de no sé qué.
Porque entonces... pues no sé...
podría dar marcha atrás...
ser un poco más sagaz...
olvidar lo que juré...
En fin; rectificaré:
¿político, yo?... Quizás...

Poder de convocatoria

¿Por qué tiene esa virtud
la Virgen de Guadalupe
de que a su vera se agrupe
tan enorme multitud?
¿Qué genera la actitud
de esos conglomerados
que acuden desenfadados
(y por propia voluntad)
sin que haya necesidad
de que sean acarreados?*

* No se ha podido comprobar que este cuestionamiento haya formado parte
de una investigación realizada por algún partido político.

**Por mi espíritu hablará la pura raza...
o sea...**

El ocio se perpetúa,
camaradas estudiantes,
pues, hoy al igual que antes,
el disturbio reditúa.
La huelga, pues, continúa,
no obstante los mil repudios,
que recibió en sus preludios,
lo cual se traduce en muestra
del poder que tiene nuestra
Márxima Casa de Estudios.

Misiva

Señorita Paz Trinquete.
Callejón del Dedo Mocho
1538
Interior 87.
Colonia del Molcajete.
Escrito con lucidez,
con devoción y honradez,
en Chilpancingo, Guerrero,
el 21 de febrero
de 1910.

Apreciable señorita:
Por medio de la presente
le quisiera hacer patente
la pena que me marchita.
Espero que me permita
su atención por un momento,
advirtiendo que lamento
si usted se llega a aburrir;
y es que yo para escribir
no tengo mucho talento.

Mas si acaso no le aburren
mis pobres alegorías,
le diré que aquí los días
muy lentamente transcurren.
De hecho, tan sólo ocurren
los sucesos cotidianos:
se pelearon mis hermanos,
fallecieron mis abuelos,
la nana parió gemelos
y la marrana, marranos.

Pero entrando ya en materia,
le diré tan sólo esto:
que su desprecio me ha puesto
a dos pasos de la histeria.
¡Ni cuando tuve difteria
sentí tanta calentura!
Y si tantito me apura,
le diré que este sufrir
me podría conducir
tal vez a la sepultura.

Finalmente yo le digo
lo que ya resulta obvio:
si no puedo ser su novio,
considéreme su amigo.
Pues si no quiere conmigo,
que la amo con frenesí,
tendrá que saber que a mí
no me causa menoscabo,
sabiendo que al fin y al cabo
no faltará otra que sí.

Turismo

Hoy soy un turista más
que inútilmente se obstina
en ver la Muralla China...
que me tapan los demás.
Gente adelante y atrás,
continuamente empujando
y en voz alta comentando
cuando la guía detalla
que la imponente muralla
data de quién sabe cuándo.

Ante las reliquias chinas
están como espectadoras
catorce o quince señoras
que también son unas ruinas.
Y siendo también genuinas
sus ansias de aprendizaje,
se lanzan al abordaje
varias docenas de gringos
que reciben los distingos
de las agencias de viajes.

.

En resumen, yo diría
que incidentes como éstos
(o incluso más molestos)
están a la orden del día.
Y sin embargo habría
también múltiples razones
para evitar desazones.
Desde luego, soslayar
el riesgo de renunciar
a salir de vacaciones.

Y por lo tanto afirmamos
que a pesar de los ultrajes,
disfrutamos de los viajes
por donde quiera que vamos.
Asimismo declaramos,
mostrándonos optimistas,
que el turismo a todas vistas
volverá a ser placentero
cuando reduzcan a cero
la presencia de turistas.

¡Un idioma tan feo!

Yo conozco a más de tres
que en los Estados Unidos
deben estar aburridos
de tener que hablar inglés.
Pero he sabido después
que su origen anglicano
les dificulta de plano
ya no digamos hablar,
sino incluso balbucear
el hermoso castellano.

Y sin embargo yo creo
que no es justo que laceren
a quienes nacen y mueren
con un idioma tan feo.
En consecuencia, deseo
agradecer al destino
que me libró de tal sino,
pues dicho en forma cortés,
eso de hablar en inglés
¡para mí que está en chino!

Turista clásico

Llegó en busca de sol
y engordó como tonel
porque comió verigüel
y no soltó su jaibol.
Al compás del roncanrol
coleccionó sus afiches
y pronunció sus espiches
que incluyen un jaguaryú,
uno que otro verigú
y varios sonavabiches.

"No smoking"

En los Estados Unidos
sin ambages declararon
que los cigarros quedaron
estrictamente prohibidos.
En cambio son permitidos
los vaqueros sin decoro
que en vez de lazar al toro
prefieren ponerse a gatas
para prender sus fogatas
con colillas de Marlboro.

Gentilicio

Los datos del pasaporte
difícilmente establecen
a qué país pertenecen
nuestros vecinos del norte.
Sin sustento ni soporte
se dicen "americanos",
pero ignoran los fulanos
que eso es toda la gente
de este vasto continente.
(Incluyendo a los cubanos.)

Algunos lo llaman "USA",
palabrita tan pequeña
que mezquinamente enseña
su condición de inconclusa.
Y aparte de ser confusa,
resulta, por otro lado,
que la palabra ha mostrado
ser aún más conflictiva,
ya que de ella se deriva
el gentilicio "USADO".

Y podemos agregar
que "Estados Unidos" es
una falta de honradez,
porque si "unir" es "juntar",
¿cómo podrían quedar
Alaska y Hawai incluidos?
¿No será que en vez de "unidos"
(evidente aberración)
la verdadera intención
era decir "coludidos"?

Sin embargo, yo sé cuál
debe ser el gentilicio
de estos campeones del vicio
en el ámbito mundial:
considerando la actual
cantidad (estratosférica)
de gente que vive histérica
por los vicios adoptados,
se deben llamar "Estados
Unidos de Narcoamérica".

Otra vida

Yo que iba tan tranquilo
acercándome al final
de mi vida terrenal,
de pronto dudo y vacilo.
¿Es verdad que no hay asilo
para el alma? ¿Que morir
es dejar de existir?
¿Que la fugaz existencia
no tiene la trascendencia
que me dejaron intuir?

¡No! ¡Esto no, por favor!
Yo, con mi libre albedrío,
me atrevo a pensar, Dios mío,
que debe haber un error.
Y perdóname, Señor,
si con ello te incomodo;
sin embargo, de algún modo
te lo tengo que decir:
¡No me vayas a salir
con que aquí se acaba todo!

Sin memoria

¿Tuve una cita contigo?
A decir verdad, no sé
ni cuándo ni dónde fue.
Y pongo a Dios por testigo
de lo que ahora te digo:
No me acuerdo de la cita
ni de tu cara bonita.
Más aún: que yo me muera
si recordara siquiera
cómo te llamas, Lupita.

Sabor de concupiscencia

Reconozco que repruebo
la voz de la juventud
por no tener la inquietud
ni la fuerza de un mancebo.
Y honestamente debo
hacer otra confidencia:
recordar la adolescencia
evoca en forma sutil
un agridulce y febril
sabor de concupiscencia.

Y si es inmadurez
recordar hembras desnudas,
yo soy sin lugar a dudas
modelo de candidez.
Mas confieso, a la vez,
que el corazón se desboca
cuando en las noches evoca
la circunstancia fortuita
de aquella primera cita
de una boca con mi boca.

Amor (o casi)

No anhelo ser signatario
de un pacto de amor eterno
cuando ya invade el invierno
mi extenuado calendario.
Y si fuera necesario,
pongo al cielo por testigo
de que no quiero contigo
la solemnidad de un pacto.
... Me basta con el contacto
de tu ombligo con mi ombligo.

Erótica

Si caigo en el embeleso
con sólo ver tu figura,
tu cadera, tu cintura
tus muslos y todo eso,
¿qué pasará con un beso?
¡O más aún: cuando entre
y finalmente me encuentre
bañado por la humedad
de la dulce cavidad
que hay debajo de tu vientre!

Con el respeto debido

Ilustre señor Picasso:
Con el respeto debido
que amerita un apellido
que le da lustre al Parnaso,
me aventuro a dar el paso
(obviamente muy riesgoso)
de cuestionar su famoso
cuadro llamado *Guernica*
que hoy la gente califica
como arte maravilloso.

Se dice que usted rindió
con este cuadro homenaje
a víctimas del salvaje
bombardeo que sufrió
aquel pueblo; pero yo
hago esta conjetura:
¿es correcto, por ventura,
conmemorar la crueldad,
el crimen y la maldad
con una caricatura?

Manos

Hábil mano que labora
convirtiendo un enorme
trozo de mármol informe
en el David que es ahora.
Igualmente seductora
es la imagen de otra mano
cuando descubre el arcano
primor de una melodía
que hasta entonces dormía
entre las teclas de un piano.

Muchas manos dejan huellas
perennes de sus virtudes;
muchas muestran aptitudes
y muchas otras son bellas.
No obstante, de todas ellas
no es belleza ni es pericia
el don que más beneficia.
Entre los seres humanos
la más útil de las manos
es la mano que acaricia.

Nacer

En entrañas de mujer
anidaba un ser pequeño
que anhelaba en cada sueño
el momento de nacer.
Pensaba "ya quiero ver
los espléndidos colores
que deben tener las flores,
y quiero ya escuchar
el magnífico trinar
de los pájaros cantores.

"Quiero comer golosinas,
recibir muchos cariños
y jugar con otros niños
de las colonias vecinas.
Aprender mil disciplinas
y conocer, claro está,
mi escuela. Y a quien habrá
de enseñarme a sonreír
y desde luego a decir:
'te quiero mucho, mamá'".

... Poco después, sin embargo,
algo pasó; y el pequeño
vio convertido su sueño
en mortecino letargo.
Y en secuela del amargo
y tajante acontecer,
nunca jamás podrá ver
los colores de las flores.
... Y los pájaros cantores
deberán enmudecer.

No probará golosinas
ni caricias ni cariños;
ni jugará con los niños
de las colonias vecinas.
No aprenderá disciplinas.
Nunca sabrá dónde está
su escuela; ni habrá
quien le enseñe a sonreír.
... Y jamás podrá decir
"te quiero mucho, mamá".

Mi mejor amigo

No me pasa inadvertida
esta verdad singular:
yo he tenido que cargar
conmigo toda la vida.
Verdad incontrovertida
que con prendas de egoísmo
se disfraza de heroísmo,
pues hay que tener paciencia
para librar la existencia
cargando con uno mismo.

En ningún momento dejo
de ser yo mi compañía.
Y miro día tras día
al mismo hombre en el espejo.
Tal vez un poco más viejo
y un poco más arrugado;
más inútil, más cansado,
más sordo, más soñoliento,
más distraído, más lento;
en resumen: más usado.

Pero hay algo singular
dentro de esta situación
que me brinda la ocasión
para contemporizar.
Por ello he de confesar
que el tanto vivir conmigo
justifica lo que hoy digo
a modo de confidencia:
que a fuerza de convivencia
yo soy mi mejor amigo.

Derechos (casi) Humanos

Hay lugares donde orejas,
manos, pies, lengua o nariz
son cortados de raíz
a quien está tras las rejas.
Pero han llovido las quejas
contra estos desaguisados,
sobre todo en los Estados
Unidos, una nación
cuya total población
es de hombres civilizados.

Ahora los refulgentes
Derechos Humanos —dicen—
prohiben que descuarticen
a los pobres delincuentes.
Seamos pues indulgentes:
¡Ya nunca más, ciudadanos,
cortar lenguas, pies o manos;
pues aplicar un tormento
es actuar en detrimento
de los Derechos Humanos!

De modo que hoy, por decreto
si te sentencian a muerte
vas a contar con la suerte
de que te entierren completo.
Dicho con todo respeto
y la licencia debida,
hoy, gracias a tal medida
de los Derechos Humanos,
ya no te quitan las manos;
únicamente la vida.

Los pequeños callejeros

Improvisando senderos
entre las filas de autos,
dos pequeñuelos incautos
caminan más que ligeros.
Zapatos con agujeros,
camisola desteñida,
una gorrita prendida
con alfileres prestados,
manos y rostros pintados,
escasos años de vida.

Van en busca de lugares
apropiados, como esquinas
donde a cambio de propinas
ejecutan malabares.
Y si uno de los juglares
no muestra mucha soltura
cuando la bola captura,
la razón es evidente:
su arte es tan incipiente
como su hambre es madura.

Y al tiempo que yo les daba
la consecuente propina,
de manera repentina
comprendí lo que pasaba:
que mi acción representaba
una forma de cohecho,
pues las monedas, de hecho,
eran disfraz de disculpa
por lo que tenga de culpa
el edredón de mi lecho.

Terrorista

No te conozco. Por tanto,
no puedo saber si fuiste
modelado con el triste
barro que humedece el llanto.
¿Jamás escuchaste un canto?
¿Quiso la triste fortuna
que tuvieras como cuna
la más pobre de las chozas?
¿Nunca acariciaste mozas
bajo la luz de la luna?

Tal vez estás convencido
de que tu causa es la justa.
Tal vez sólo te disgusta
el hecho de haber nacido.
Y tal vez hayas tenido
justificada razón
para sentir aversión
contra toda autoridad:
leyes, padres, sociedad,
jefe, maestro, patrón.

Pero escoges un tirano
que pague todas las culpas,
y no existen ya disculpas
que puedan frenar tu mano.
No hay retorno. Pues no en vano
piensas que eso te propicia
la suficiente franquicia
para destrozar el yugo,
siendo tú el juez y el verdugo
que aplicará la justicia.

Y echada quedó la suerte
del tirano repulsivo
cuando el fatal explosivo
dictó sentencia de muerte.
... Pero también quedó inerte
un niño que nunca odiaste...
¿Acaso jamás pensaste
que por el mismo lugar
también podía pasar
el hijo que me mataste?

Hoy soy la mitad de mí

Hoy soy la mitad de mí,
la mitad de mis entrañas
y mitad de las hazañas
que alguna vez emprendí.
Mitad de lo que antes fui.
Peregrino que se queda
a mitad de la vereda.
Candor de media poesía.
Calor de media bujía.
Valor de media moneda.

Mitad de los halagüeños
proyectos que he forjado,
y mitad de lo soñado
a la mitad de mis sueños.
Soy mitad de los pequeños
residuos de mis ofrendas.
Inquilino sin prebendas
con la mitad de un hogar,
que no tiene a quién contar
la mitad de sus leyendas.

Hoy soy la mitad de mí.
Soy la mitad de mis venas,
y soy la mitad apenas
de lo que hace tiempo fui.
La mitad ya la perdí.
La mitad de mi reproche
es la mitad del derroche
de lo que a medias tenía.
Jornada de medio día.
Descanso de media noche.

Hoy, la mitad de mi suerte
es una mitad perdida,
y la mitad de mi vida
es la mitad de mi muerte.
El destino me convierte
en fulgor de media estrella;
licor de media botella
a mitad de un frenesí.
Hoy soy la mitad de mí
porque hoy me falta ella.

Minero

Te vas a morir, minero.
Terminó el pequeño y triste
tiempo en que sólo fuiste
morador de un agujero.
Parodia de un hormiguero
que sin pudor prefigura
lo que será tu futura
y perenne residencia,
pues la mina fue en esencia
tu primera sepultura.

Quiso el amargo destino
que al perforar socavones
fueran tus propios pulmones
morada del asesino.
Polvo caro... polvo fino...
polvo malo... polvo artero...
Y vas a morir, minero,
sin saber que quien te mata
es el polvo de la plata
que nunca fue tu dinero.

Milenio

De acuerdo con el ingenio
que diseñó el calendario
llegamos ya al escenario
en que debuta el milenio.
Pero éste es sólo el proscenio
del escenario virtual
para la obra teatral
de infinita trascendencia:
la que oculta sin clemencia
su enigmático final.

Nostalgia

Nostalgia: hoy nuevamente
estás llamando a mi puerta
para sembrar en mi huerta
tu empecinada simiente.
Nostalgia, fiel confidente
que con tesón resucitas
las experiencias fortuitas
que al transcurso de los años
conformaron los extraños
pormenores de mis cuitas.

Nostalgia que sin recato
desnudas intimidades;
Nostalgia que nunca evades
tu función de autorretrato.
Nostalgia, la del relato
de la vida cotidiana:
lo mismo cada mañana,
cada tarde, cada noche,
y si acaso algún derroche
durante el fin de semana.

Nostalgia que con un ruido
del ayer que hoy descansa,
por arte de remembranza
deviene sutil sonido:
como el carbón encendido
que cruje y chisporrotea
en la vieja chimenea,
o el ruido cansino y grave
de la monótona llave
que sin reposo gotea.

Con pinturas y barnices
sucede también lo mismo:
por arte de mimetismo
adquieren nuevos matices,
desaparecen los grises
en todo lo que contemplo
y lo que ayer, por ejemplo,
fue rincón de mala muerte,
por Nostalgia se convierte
en solemnísimo templo.

¿Pero por qué tantos versos
en honor a la Nostalgia,
a riesgo de la neuralgia
que producen los esfuerzos?
¿No será que los diversos
recuerdos son la señal
que de manera virtual
transmite mi subconsciente
diciendo veladamente
que se aproxima el final?

La escuela del delito

Hoy se abren las inscripciones
que otorgan el privilegio
de ingresar en el colegio
que colma tus ambiciones.
Date prisa, que hay millones
de estudiantes que, de hecho,
ya se encuentran al acecho
de un pupitre en el genial
Instituto Nacional
de Corrupción y Cohecho.

Puedes tener la confianza
de que todos los maestros
son profesionales diestros
en el arte de la transa.
Por ejemplo: en Holganza
se dan cursos con apego
a las leyes del sosiego,
a cargo de los mejores
y más aptos profesores.
(Burócratas, desde luego.)

Contamos con la flamante
Maestra Televisión
que destaca por el don
que tiene de ser constante,
pues alcanza, tan campante,
el nivel de la excelencia
cuando, con toda paciencia,
la ínclita profesora
imparte hora tras hora
la Cátedra de Violencia.

En Lavado de Dinero
hay un curso superior
a cargo de un profesor,
—que por supuesto es banquero—
que imparte con esmero
la Cátedra de Agiotismo.
Contaremos, asimismo,
con un líder sindical,
indudablemente ideal
para impartir Gangsterismo.

El profesorado cuenta
además con un tahúr,
un maestro del Albur
y un experto en la Reventa.
Pero entre todos ostenta
un lugar privilegiado
el profesor que ha logrado
las más altas distinciones
como experto en Violaciones:
un judicial retirado.

La pelotera
(Revolución devaluada)

Dicen que fue un sueño
de grandezas el delirio
que padeció don Porfirio.
(Díaz, aquel oaxaqueño
que anhelaba ser el dueño
absoluto del país
y que estuvo a un tris
de lograrlo.) Su pecado
fue haber subestimado
a un hombrecillo gris...

¡Pero gris como el acero,
pues el pequeño valiente
llegó a ser presidente!
Desde luego me refiero
a don Francisco Madero,
el pequeño gran señor
que obliga al dictador
a dejar la presidencia
... sin saber que la violencia
tendrá nuevo ejecutor.

Porque Huerta (Victoriano),
borracho, falaz y arisco,
asesina a don Francisco
y se alza como tirano.
Éste es el nuevo villano
que, también con eficacia,
asesta el tiro de gracia,
implacable y contundente,
a la que fue incipiente
y efímera Democracia.

Pero Huerta no se aferra
al poder cuando advierte
que hay peligro de muerte,
... y él mismo se destierra.
Mas entonces otra guerra
esparce nuevo quebranto
y alimenta al camposanto
con más carne de cañón.
¡Es la Gran Revolución
de cada quién pa' su santo!

No importa si la pelea
es de hermano con hermano,
de Fulano con Mengano
o Sutano con quien sea,
pues todo mundo desea
ser el primer cabecilla:
Obregón, Orozco, Villa,
Zapata, Calles, Carranza,
ignorando que no alcanza
para todos una silla.

Por ejemplo: Emiliano
(Zapata, para más señas)
andaba ya de las greñas
con el señor Venustiano
(Carranza). Y el buen anciano,
con enjundia sin igual,
se echó a cuestas el fatal
y perverso compromiso
de convertir en occiso
al fastidioso rival.

Por su parte, Obregón
(don Álvaro, por supuesto)
dice que fue deshonesto
el proceder del felón,
y en la primera ocasión
que encuentra busca venganza,
de modo que sin tardanza
contrata a varios secuaces
que al instante son capaces
de eliminar a Carranza.

Mas, sentado ya en la silla
que llaman presidencial,
advierten al general
que aún vive Pancho Villa,
y el recuerdo lo orilla
a aceptar que éste es un hueso
duro de roer. Por eso
al gran Centauro del Norte
le tramitan pasaporte
... para el viaje sin regreso.

De Pancho Villa dijeron
que fue digno de repudios,
pero recientes estudios
con gran rigor coincidieron
en que a sus manos murieron
únicamente soldados,
curas, monjas, hacendados,
campesinos, comerciantes,
profesores y estudiantes.
(Enemigos o aliados.)

Y después el general
sucumbe en un banquete
a manos de un mozalbete
que se siente "león" (Toral).
Resulta, pues, natural
que muchas voces expertas
digan que tantas reyertas
resultaron destructivas,
ya que en vez de fuerzas vivas
sólo hubo fuerzas muertas.

Y al cobijo del rencor
que produjo tanta muerte,
hoy en día se advierte
con acendrado dolor
que la víctima mayor
fue la saga justiciera,
la que en un principio fuera
legítima rebelión
y en vez de Revolución
tan sólo fue pelotera.

Rodando... rodando...

Esto que voy a narrar
al calor de algunos tragos,
ni me llena de vergüenza
ni me apena confesarlo.

Pero tampoco me causa
orgullo el ir pregonando
que soy de la vida alegre
... aunque éste sea mi trabajo.

¡Ay, si supieran ustedes
lo penoso, lo cansado,
lo triste que es este oficio...!
¡Y más cobrando barato!

¿Que la labor es difícil?
Quién podría desnegarlo.
Porque, miren: pa empezar,
esto hay que hacerlo con "tacto".
Y hace falta demostrar
dedicación, entusiasmo,
amor a la camiseta;
cariño por el trabajo.

Una debe soportar
del cliente los malos tratos
sin contar con el apoyo
de un mísero sindicato.
¿Vacaciones? ¡Ni de chiste!
Aunque no escasean, claro,
momentos "embarazosos"
que nos licencian un rato.

Como le pasó a mi prima
cuando consiguió el trabajo
para salir en la tele
nomás dizque modelando.
Primero, quesque unas fotos
de todititos los ángulos:
que de perfil, que de frente,
boca arriba, boca abajo...

Y concertaron la cita
con el productor Fulano,
¡pero en un departamento
por el rumbo de Polanco!
Ella niega dedicarse
a las labores del ramo,
pero así conozco a muchas
que compiten sin descanso.
Y si no digo los nombres
es que siete, por lo bajo,
pertenecen a familias
de honorables funcionarios.

Pero mejor regresemos
a lo que estaba contando:
les decía que vivimos
en el total desamparo.
Lo mismo todos los días,
incluidos los malos tratos
y la oferta y la demanda
que regulan lo tratado.

Un albañil (con playera)
un comerciante (con saco)
un cegatón (sin anteojos)
un guapetón (sin centavos).
Un güerito y un moreno,
un viejito y un muchacho,
media docena de azules
y uno que otro diputado.

Lo mismo noche tras noche.
Nosotras nunca pensamos
en las tristes consecuencias
cuando damos el mal paso.
Lo mío no es diferente.
Pasó una noche de mayo
cuando quedé deslumbrada
por el porte de un soldado.
¿Algún capitán? ¡No mamen!
... Un pinche soldado raso...
Si hubiera sido un sargento,
o ya de perdis un cabo...
Pero la noche era ardiente
¡y más ardiente el soldado!

¿Y yo?... Pos tampoco era
precisamente un helado.

Él no llegaba a los veinte...
¡Y no llegó el desgraciado,
porque al ratito de aquello
me dijo que era casado,
y con su propio fusil
le metí chico plomazo!

Llegaron unos azules
y me llevaron al tambo
abordo de una patrulla
pintada de negro y blanco.
Pero camino a la peni
los cuicos me perdonaron
y hasta me dejaron ir
de ahí corriendo, a cambio
... a cambio de... de que yo...
¡pos ya se sabe, carajo!

El mundo siguió su marcha...
al soldado lo enterraron...
¿Los policías? ¡Quién sabe!
¿Y yo?... Rodando... rodando...

Rafaé

Hará tres años apenas
que conocí a Rafaé,
mataor de toros bravos,
a las órdenes de usté.
Artista de fina estampa,
valiente con el burel,
comprometío con la fiesta
... y con mi hermana también.

¡Pero, mare, qué verónicas
las que daba Rafaé!
¡Qué desplantes más toreros!
¡No hubo otro como él!
Con el capote, ¡un astro!
con banderillas, ¡el rey!
con la muleta, ¡el amo!
... y con mi hermana también.

Aún tengo en los oídos
el ¡ole! que aquella vez,
brotando de las gargantas,
estremeció al redondel.
Aquella tarde, lidiando
un bicho de Pastejé,
¡ha hecho una chicuelina!
... y con mi hermana también.

Estatua de seda y oro,
maestro del volapié,
artista de nacimiento
y torero cien por cien.
Pues cuentan los enteraos,
hablando de Rafaé,
que dormía con la muleta
... y con mi hermana también.

Pero hace poco, toreando,
tuvo un lance Rafaé
con un picador gallego
que medía siete pies,
y el gordo aquel de a caballo
le dijo quién sabe qué
cuando cargó con la pica
... y con mi hermana también.

Rafaé murió de pena.
Y poco tiempo después
mi hermana se ha casao
con el picador aquel.
Y ahora éste, llorando,
y mirando a la mujé,
comenta "en mala hora
te moriste, Rafaé".

Marisol

(En Puerto Rico, mayo de 1961,
cuando la pequeña cantante y
actriz española realizaba una gira.)

De más allá de los mares
ha llegado una chiquilla
de cuyos labios emerge
un manantial de sonrisas.

Dos pinceladas de cielo
son los ojos de la niña,
y refleja su cabello
todo el sol de Andalucía.
Sus manos son azucenas
que dibujan, cuando giran,
el ondular del capote
que forma la chicuelina.

¡Ay, Marisol, Marisol,
rayito de luz que brilla
como no ha podido hacerlo
el sol en el mediodía...
haz que el tiempo se detenga
y sigue siendo una niña!

Paco Aguilera pintaba
con el bordón y la lira
los paisajes de la España
que vio nacer a la artista.
La que vestida de blanco,
rubia, frágil y bonita,
vino a robar corazones
cantando por bulerías.

¡Ay, Marisol, Marisol,
rayito de luz que brilla
como no ha podido hacerlo
el sol en el mediodía...
haz que el tiempo se detenga
y sigue siendo una niña!

Romance

Vamos al jardín del sueño
donde la luz de la luna
pinta de blanco las rosas
y acaricia su blancura.

Donde se forma el arroyo
con gotas de fresca lluvia
que por la noche es mullido
lecho de flores desnudas.
Donde la brisa nos cuenta
secretos de la laguna
y nos envuelven los nardos
con su aliento que perfuma.
Donde los ciervos pequeños
para dormir se acurrucan
sobre la alfombra de musgo
que sirve de blanda cuna.

Vamos al jardín del sueño
y pintaré tu hermosura
con el agua del arroyo
y con la luz de la luna.

Nochebuena

Hoy voy a decirte, madre,
por qué amo la Nochebuena.
Y por qué año con año
yo siento que el alma entera
se me inunda de alegría
al conjuro de la fecha.

Son añoranzas, recuerdos,
el pasado que regresa
en el aroma de un pino
y en el color de una esfera.
Es la niñez a tu lado.
Con mis hermanos ¿recuerdas?
salpicábamos el árbol
con juguetes y sorpresas;
pendientes de heno y escarcha
que desde lejos semejan
las barbas de Santaclós
y la cola de un cometa.

"Yo quiero poner el pico"
era la disputa eterna.
"¡Ya rompiste cuatro bolas!"
fue mi continua torpeza...
Pero después, a gozar
cuánto lucían las esferas
como racimos de uvas,
como puñado de estrellas.

Y el nacimiento de barro
con su imprescindible cueva,
a veces al pie del árbol,
a veces en una mesa.
Y aquel arroyo de escarcha,
¿acaso no era un poema?
Corriente de luz y plata
por un sendero entre piedras
que descendía hasta el lago
de superficie muy quieta:
nada menos que un espejo
con un patito de cera.

¿Quién puede dormir de niño
sabiendo que es Nochebuena?
¡Silencio, que estoy oyendo
ruidos en la chimenea!
¡Es Santaclós! ¿quién lo duda?
¡Es Santaclós que regresa
con un costal de juguetes
que al pie del árbol dispersa!

... Mas... los soldados de plomo
y el cochecito de cuerda,
¿no son acaso los mismos
que vimos en una tienda?
... Pero ahí tenían un precio
pintado en una tarjeta...

¡Cómo gozábamos, madre,
sin imaginar siquiera
cuántas horas de trabajo
te costaba Nochebuena!

Y nunca faltaba un árbol
adornado con esferas,
un nacimiento de barro,
un regalo y una cena.
Pero más aún gozamos
cuando supimos que tú eras
el Santaclós que compraba
los regalos en la tienda.

Por eso amo esta noche.
Por eso quiero que sepas
que para mí, mamacita,
tú eres la Nochebuena.

Palabras

A veces las palabras son alhajas
que amalgaman fulgor y pulcritud
y dan con singular exactitud
sabor de ambrosía a las migajas.

Pero a veces parecen ser navajas
que hieren con fatal solicitud,
y en el gris funeral de la virtud
semejan ser auténticas mortajas.

Entre esas palabras hay algunas
que son abiertamente repugnantes
y fruto de actitudes lacayunas.

Son aquellas que encierran un abrupto
y horrísono mensaje: las babeantes
palabras del político corrupto.

Salvaje

Escuché los aullidos vespertinos
que pregonan la muerte en el paisaje
y conocí el ríspido paraje
donde moran los tigres asesinos.

Vi también los residuos mortecinos
y la huella patente del coraje
de una lucha mortífera y salvaje
que salpica de sangre los caminos.

Pero ¡ay! esa lucha de las fieras
nunca tuvo el encono repulsivo
de la lucha brutal de las trincheras.

Ni ejerció el vencedor un cruel tormento
ni aplicó vejaciones al cautivo
ni forjó su memoria un monumento.

Desenlace

La Historia es un concierto de fusiles.
La Bestia se alimenta de pertrechos.
Y la sangre se escapa de los pechos
conformándose en líquidos reptiles.

Es la cúspide gris de los cantiles
atalaya de buitres satisfechos;
sus entrañas son ya mortuorios lechos
de carnes que anidaron proyectiles.

Después... el torbellino de electrones,
el hongo que vomita radiaciones.

La luz que desintegra las materias,
la sangre que calcina las arterias.

El aire que mutila, que destruye...
La estirpe de los hombres que concluye.

El paisaje del amante

Paisaje de matices indiscretos,
desde el verde amarillo de las cañas
hasta el pálido azul de las montañas
alfombradas con musgo y con abetos.

Paisaje de intrincados vericuetos
que sugieren eróticas hazañas,
estoy en el umbral de tus entrañas
buscando tus más íntimos secretos.

Voy en pos del magnífico y fragante
perfume que acostumbran exhalar
tus flores en derroche de frescura.

Compréndelo, Paisaje: soy tu amante
y me encuentro dispuesto a penetrar
el Edén que cobija tu espesura.

Ensueño

Si para soñar un sueño
preciso ser soñador,
soñaré con el ensueño
de soñar sueño de amor.

Índice

... y también poemas se terminó de imprimir en abril de 2006, en Mhegacrox, Sur 113-9, núm. 2149, col. Juventino Rosas, C.P. 08700, México, D.F.

Friends of the
Houston Public Library   HCARW   SP
                                  861
                                  G633

AUG 12 2009

GÓMEZ BOLAÑOS, ROBERTO.
  --YTAMBIEN POEMAS

CARNEGIE
08/09